Jean-Jacques Fénié

SAINT-JEAN PIED-DE-PORT

Photographies de Bertrand Cabrol

Au cœur du Pays Basque, Saint-Jean-Pied-de-Port que la langue euskarienne appelle Donibane Garazi, est la principale cité du Pays de Cize, région de la Basse-Navarre, l'une des sept provinces basques. Le site de cette petite ville d'environ 1800 habitants est exceptionnel.

Ancrée au flanc d'une haute et verdoyante colline, l'ancienne capitale politique et administrative de la Navarre d'*Ultrapuertos* (c'est-à-dire d'Outre-Monts) se trouve au centre d'un bassin encadré de montagnes. Les trois Nives, torrents descendus des cimes pyrénéennes, viennent s'y apaiser. Au couchant de la dépression triasique qui s'étale d'est en ouest au pied de la croupe massive de l'Arradoy se situe leur confluence.

La Nive de Béhérobie vient des crêtes du sud, passant par Esterençuby et Saint-Michel ; c'est elle qui pénètre dans Saint-Jean-Pied-de-Port en passant sous le pittoresque pont d'*Eyherraberri*, dit «pont romain», avant de longer l'église Notre-Dame et de baigner les blanches maisons aux plaisantes galeries. C'est l'aspect le plus connu de la cité.

A un kilomètre au-delà, les communes d'Ascarrat, d'Ispourre, de Saint-Jean-Pied-de-Port et d'Uhart-Cize semblent s'unir, sur la carte, pour dire adieu à ces trois eaux : la Nive de Béhérobie rencontre celle d'Arnéguy, dont le courant arrive de Valcarlos et du Col d'Ibañeta, et le Laurhibar qui descend du massif calcaire des Arbailles et traverse la plaine de Saint-Jean-le-Vieux. Rassemblées dans la Nive («Erobi» en basque) ces eaux montagnardes, après avoir franchi les défilés au pied du Baïgoura, du côté de Bidarray, coulent vers Cambo et Bayonne.

Le charme de Saint-Jean-Pied-de-Port tient au fait que, véritablement, cette antique place respire l'Histoire. Dans ce «pays des hauteurs» (la Cize ou Garazi) chaque chemin ou presque est marqué du souvenir des troupes romaines, franques ou navarraises franchissant les «ports» pyrénéens (puertos en castillan, cols en français), ou encore empreint de celui des pèlerins cheminant vers Saint-Jacques-de-Compostelle. Sévère, malgré les frondaisons qui l'entourent, la massive citadelle veille sur le pays pour l'éternité. Sur les pavés disjoints des rampes d'accès à la demi-lune, d'où une vue splendide s'offre sur la ville, on croit entendre résonner les sabots du cheval de Monsieur de Vauban, venu inspecter les fortifications en l'an de grâce 1685. Dans l'active rue d'Espagne ou au pied des remparts de grès rose que le temps a bruni, une date, une inscription sur un linteau de porte vous transportent deux ou trois siècles en arrière.

Parcours dans l'Histoire puis promenade dans la ville : que la visite commence !

Tout au bout de la rue de la Citadelle, la porte Saint-Jacques, ornée d'un écusson aux armes de la Navarre. Par là arrivaient les pèlerins venus de toute l'Europe : dernière étape avant les ports de Cize.

En pays de Cize, une antique présence humaine.

Dolmens, tel celui de Gasteynia à Mendive, cromlechs du côté de la Forêt d'Orion et du col de Bentarte (chemins de grande randonnée GR 10 et GR 65), enceintes protohistoriques, tumulus de Saint-Jean-le-Vieux («Imus Pyreneus» dans le célèbre Itinéraire d'Antonin) : l'occupation humaine dans le Pays de Cize remonte à la nuit des temps.

Il y a plus de 2 000 ans, non loin de cette montagne où les Vascons, depuis le néolithique, sont agriculteurs et bergers, les légions romaines prennent le contrôle de l'Espagne (vers - 200 avant J.C.) et de l'Aquitaine (conquise en - 56 par Crassus, lieutenant de César). Certes les habitants de la plaine sont beaucoup plus romanisés que ceux de la zone montagneuse où la langue ancestrale conserve à travers les siècles sa syntaxe et une bonne partie de son vocabulaire. Cependant les ports de Cize, en cette extrémité occidentale des Pyrénées, ont toujours été très empruntés. La traversée de la montagne y est plus facile car l'altitude y est plus faible. On dit que là se trouve «une des plus vieilles routes de l'Europe». Tour à tour pistes de transhumance, itinéraires d'invasion, voie romaine dominée par la tour d'Urkulu, chemin de pèlerinage, route militaire et à présent chemins de randonnée, les passages de la chaîne sont localisés aux cols d'Arnostéguy (1236 mètres), Bentarte (1344 mètres), Lepoeder, Ibañeta (ou Roncevaux, 1057 mètres)... Par eux les Pays de l'Adour communiquent avec les hautes plaines de l'Ebre.

C'est à l'entrée de ces passages qu'a été édifiée, avant le XIIe siècle, la vieille cité fortifiée des rois de Navarre, Saint-Jean-Pied-de-Port.

«Dans l'étroitesse du passage les Vascons dévalèrent du haut des montagnes...»

Ainsi parle Eginhard, le chroniqueur franc, dans sa *Vie de Charlemagne.* Comment ne pas évoquer, en effet, le légendaire souvenir de Roland, comte des Marches de Bretagne et neveu du futur empereur d'Occident ? C'est sur la route d'Ibañeta, sur les flancs du Changoa et de l'Albiscar, qu'a lieu, le 15 août 778, l'embuscade de Roncevaux que le Moyen Age reprend et magnifie avec la «*Chanson de Roland*».

Est-ce le son de l'olifant ou la trompe incertaine de la renommée ? Une légende raconte que lors de l'attaque de son arrière garde, Charlemagne se trouvait à Lasse, à moins d'une lieue de Saint-Jean-Pied-de-Port. Dans la maison Mokossaila il jouait au «muss» —le jeu de cartes des Basques— quand soudain les cartes de mirent à saigner...

En pages précédentes.

Dans son écrin verdoyant la citadelle de Saint-Jean-Pied-de-Port, vue ici depuis l'Arradoy, garde les ports de Cize.

Dans la «prison des Evêques», la rudesse des poutres et des murailles.

De Saint-Jean-le-Vieux à Saint-Jean-Pied-de-Port.

Dans l'Antiquité comme au Moyen Age la route de ces ports de Cize, si importante pour les communications entre l'Aquitaine et la Péninsule ibérique, vient du nord, par Hasparren, Hélette, Jaxu et Saint-Jean-le-Vieux, ou encore, les Gaves de Pau et d'Oloron ayant été franchis du côté de Sorde-l'Abbaye, par Saint-Palais et Ostabat. On comprend dès lors que Saint-Jean-le-Vieux, ou plutôt son «faubourg» d'Urrutia, soit l'ancienne capitale du Pays de Cize. Etape répertoriée sur la voie romaine, puis grand centre hospitalier sur la route de Compostelle avant le XIIIe siècle, le petit bourg voit sa forteresse —le château Saint-Pé— détruite en 1177 par Richard Cœur de Lion, le Roi d'Angleterre, duc d'Aquitaine.

Certes jusqu'au XVIe siècle l'assemblée du Pays de Cize, appelée aussi la «Junte» puis, plus tard, le «Syndicat de Cize», se réunit non loin de Saint-Jean-le-Vieux, au château de Harrieta. Les représentants de la communauté —les dix-neuf communes actuelles du canton de Saint-Jean-Pied-de-Port et celle de Suhescun (canton d'Iholdy)— y débattaient des questions de pâturages, des différents entre voisins, des donations, des péages et des diverses transactions. Comme tant d'autres communautés pyrénéennes, celle de Cize s'administrait elle-même, très attachée à ses libertés, à ses «fors».

Puis, peut-être fondée au VIIIe siècle, plus vraisemblablement au XIIe, Saint-Jean-Pied-de-Port évince quelque peu par sa notoriété sa voisine des bords du Laurhibar.

Ici, l'histoire de la ville et du Pays de Cize se fond dans celle du Royaume de Navarre.

Au temps du royaume de Navarre.

Les origines du Royaume de Navarre sont floues. Des chefs basques, au IXe siècle se déclarent indépendants et repoussent les envahisseurs musulmans montés jusqu'à Pampelune. En l'An Mil, Sanche Le Grand aurait régné sur toute l'Espagne chrétienne septentrionale. En 1212, les Maures sont vaincus à la bataille de Las Navas de Tolosa par les Chrétiens dirigés par le dernier roi basque de Navarre, Sanche le Fort. Selon la tradition, les Navarrais massacrent les gardes du sultan Al Nasir qui avaient été enchaînés pour ne pas reculer, et prennent la tente de l'émir. Les chaînes des gardes et l'émeraude placée sur le mât de la tente constituent dorénavant les armes de la Navarre.

Si vers 1170 le Pays de Cize dépend sans doute du Duché d'Aquitaine, il passe rapidement sous la suzeraineté du roi de Navarre. Depuis 1194 au moins un «châtelain» le représente à Saint-Jean-Pied-de-Port, le château se trouvant sur la colline de Mendiguren.

Vers 1249, à l'issue d'un conflit opposant les rois de Navarre et d'Angleterre (souverains de l'Aquitaine depuis le mariage d'Aliénor en 1152 avec Henri Plantagenêt), les pays de Basse Navarre sont définitivement acquis à la couronne de Navarre. Outre le pays de Cize, ils englobent les régions de Baïgorry, Ossès, Ostabaret, Arberoue, Mixe, Irissary, Iholdy et Armendaritz, les villes de Garris, Saint-Palais et Labastide-Clairence ainsi que les baronnies de Lantabat, Luxe, Sorhapuru et Gramont. Le Roi de Navarre est représenté dans chaque pays par un «Merin» ou «Bayle» et par le châtelain de Saint-Jean-Pied-de-Port. Le pouvoir royal est limité par le «fuero» de Navarre, résultant d'un contrat entre les Navarrais et le roi choisi par eux.

Le temps des pèlerinages

C'est vers l'An Mil que la religion chrétienne se répand dans la population, grâce aux moines qui construisent de nombreuses églises et abbayes, cultivent des terres nouvelles et protègent les paysans. Vers cette époque commencent également les grands pèlerinages vers Saint-Jacques. Les pèlerins, venus de toute l'Europe, traversaient pour la plupart les Pyrénées au Somport ou à Roncevaux. Les chemins de Saint-Jacques (nommés en gascon «camins romius») se réunissaient presque tous à Ostabat, à cinq lieues de Saint-Jean-Pied-de-Port (soit une vingtaine de kilomètres au nord-est).

Le *Guide du Pèlerin*, écrit par un moine poitevin, Aymeri Picaud, vers le milieu du XIIe siècle, donne une première description du trajet, des gîtes qu'on y trouve et des embûches qu'on peut y rencontrer : «[Après] les Landes où, en été, abondent les énormes mouches appelées guêpes ou taons,... [après] la Gascogne, riche en pain blanc et en très bon vin rouge, [mais où] les Gascons sont légers en paroles, bavards, moqueurs, débauchés, ivrognes, mais d'une grande hospitalité envers les pauvres, [...] les Navarrais parlent une langue barbare. Dieu se dit Urcia, la mère de Dieu s'appelle Anderea Maria, le pain se dit Orgui, le vin Ardum, la viande Aragui..., la maison Echea, l'église Eliza, le blé Gari, l'eau Uric, le Roi Ereguia...». Cependant, à Saint-Jean comme à Saint-Michel-Pied-de-Port il faut payer les péages sous peine d'être frappé à coups de bâton... Jusqu'au déclin du pèlerinage de Saint-Jacques-de-Compostelle, à la fin du Moyen Age, la question des droits de passage à acquitter soulève de vives récriminations.

Témoignages de ces temps de foi et de routes jacobites, de nombreuses maisons où les pèlerins étaient accueillis et soignés s'appellent «ospitalia».

«La clef du Royaume»

Saint-Jean-Pied-de-Port est le chef-lieu de la sixième «Merindad» de Navarre, celle d'Ultrapuertos. Sorte de gouverneur, le «Merin» lève les troupes, l'impôt et rend la justice.

En 1234 le Roi de Navarre, Thibaut 1er, comte de Champagne, confirme les privilèges des habitants de Saint-Jean. En 1329, depuis Olite, la résidence royale, Philippe d'Evreux confirme l'usage du «For» de Bayonne et non du «Fuero» de Navarre. Une foire est établie à Saint-Jean-Pied-de-Port en 1355 ; elle a lieu pour la Trinité.

En 1367 Charles le Mauvais qualifie la ville de «clef du royaume». Puis il affranchit de toute redevance le «Bourg Mayor» —tout ce qui est dans l'enceinte de la ville. En 1439 le roi Jean et la reine Blanche exemptent les habitants de tout péage en Navarre.

Dans cette période médiévale, en plus de sa fonction d'étape, —et l'on comprend que l'hôtellerie y soit une activité issue d'une fort longue tradition...— la cité vit surtout de l'artisanat : forgerons, pelletiers, et bien sûr, en raison de l'élevage intensif de porcs dans toute la Basse Navarre et du commerce du jambon avec Pampelune, bouchers et charcutiers.

Jeanne 1er, reine de Navarre, épouse en 1284 Philippe le Bel. Le royaume se trouve ainsi réuni à la France jusqu'en 1328. A cette date, Jeanne, fille de Louis le Hutin et petite-fille de Philippe le Bel, exclue du trône de France par la loi salique, garde la Navarre.

PARA LAS
CIENCIAS
JUAN DE HUARTE

Saint-Jean-en-Basse-Navarre

Le royaume passe successivement par mariages aux comtes d'Evreux (1329), à Jean II d'Aragon (1425), aux comtes de Foix (1479) et enfin à la maison d'Albret (1484).

Le royaume de Navarre disparaît en 1512. Les troupes des Rois catholiques — Ferdinand Ier d'Aragon époux d'Isabelle de Castille— annexent le pays jusqu'à la crête «frontière». Les souverains légitimes, Catherine et Jean d'Albret, se réfugient outre-Pyrénées dans leurs possessions béarnaises. Leur fils, Henri d'Albret, épouse la sœur de François Ier, Marguerite d'Angoulême. Malgré ses tentatives il ne peut reconquérir le reste du royaume de ses pères. Seule lui reste la «Basse» Navarre (On dit «Haute» pour la portion du pays où se trouve la capitale...)

Dès lors le rôle stratégique de Saint-Jean, au pied des ports de Cize, va s'accroître.

De 1512 à 1530 la ville est prise ou reprise par les soldats du Roi d'Aragon ou par ceux des souverains légitimes. Les Espagnols, avec notamment leur capitaine Ruy Diaz, fortifient Saint-Jean et le château.

La paix revenue la ville s'étend hors les murs, à l'extérieur desquels s'établit le marché. L'antique paroisse de Sainte-Eulalie, dans le faubourg d'Ugange (Uganga : «au-dessus des eaux») est petit à petit intégrée à la cité.

Trois figures du XVIe siècle.

Bien que séparés de la Navarre par les vicissitudes de l'Histoire, les hommes de Saint-Jean-Pied-de-Port regardent vers le sud.

Ainsi ce Juan de Huarte, né dans la cité en 1520 et mort en 1590. Médecin, il part exercer son art à Madrid. Il est célèbre par un livre publié en castillan à Pampelune en 1575, *Examen de los ingenios para la ciencias*. Cet ouvrage traduit dès 1580 à Lyon, apporte plusieurs idées neuves en cette fin de Renaissance. Juan de Huarte y avance notamment que la physiologie joue le rôle principal, non seulement dans toutes nos sensations, mais encore dans toutes nos pensées. La psychologie moderne n'est pas loin !

Rue de la Citadelle, maison Arcanzola, naît en 1531 Jean de Mayorga. Fixé à Saragosse il y devient un peintre apprécié, mais vers ses trente-cinq ans il se fait jésuite. En compagnie du Père Azevedo et de quarante membres de la Compagnie de Jésus il part pour le Brésil. Au large des Canaries un marin de Dieppe, Jacques de Sourie (ou Soria en castillan), calviniste et quelque peu corsaire, s'empare de leur navire. Tous les passagers périssent massacrés. Sainte Thérèse d'Avila, dans une de ses visions, assiste à ce martyre : un de ses neveux se trouve à bord du bâtiment... En 1854, le pape Pie IX proclame Bienheureux Jean de Mayorga comme toutes les autres victimes. Une petite croix blanche sur l'encorbellement de sa maison natale rappelle le souvenir du martyr, de même qu'un vitrail moderne l'évoque dans l'église où il a sa statue.

A deux pas de Saint-Jean-Pied-de-Port, la paroisse de Saint-Michel garde le souvenir d'un homme que les basquisants considèrent comme un précurseur, Bernard d'Etxepare, curé du village. En 1545 il publie le premier livre où peut se lire la langue basque : *Linguae vasconum primitiae*, un recueil de poèmes profanes et religieux. C'est la première œuvre écrite en euskara, idiome qui jusqu'alors n'avait traversé les âges qu'oralement.

De gueules (rouge) aux chaînes d'or posées en pal (verticalement), en fasce (horizontalement), en sautoir (en croix de Saint-André) et en orle (en bordure), chargées au cœur d'une émeraude au naturel (verte) : les armes de la Navarre sur un vitrail de l'Eglise Notre-Dame.

Offert en 1934 par la province de Haute Navarre à la ville de Saint-Jean-Pied-de-Port, le bronze représentant Juan de Huarte (vers 1520- vers 1590).

HOTEL
VILLE
LAYETTE

Au XVIIe siècle la citadelle est construite.

Certes des moellons à bossage de quelques pans de mur des bastions sont caractéristiques de l'architecture espagnole du temps de Charles-Quint, cependant en 1644 on décrit la ville comme «renversée plutôt qu'assise au pied des monts Pyrénées, puisque ses murailles et sa forteresse sont démolies».

Henri IV, en devenant roi de France (1589), apporte la Navarre en «prime». Saint-Jean-Pied-de-Port, de par sa situation, constitue un enjeu capital face à l'Espagne menaçante. Il faut toujours se rappeler que c'est le point de départ de la route menant à Pampelune ; pour les cavaliers ou les soldats de l'Infante, c'est le passage privilégié pour se rendre maître de Bayonne, car on passe très peu encore par la Bidassoa. La construction de la citadelle est une réponse à la guerre avec l'Espagne du Siècle d'Or, à laquelle le traité des Pyrénées (1659) met un terme. Sur les plans de l'ingénieur militaire Deville les travaux sont réalisés de 1643 à 1647.

En 1685 un mémoire de Vauban, venu par deux fois en inspection, propose une dizaine environ d'améliorations, mais le descriptif révèle qu'elle a déjà sa forme rectangulaire à quatre bastions et ses grandes demi-lunes à l'ouest et à l'est. La ville, composée de quelques 115 maisons et de 30 places, y est jugée petite et, entre autres défauts, insuffisamment protégée par ses murailles. Toutefois les considérations de Vauban ne sont guère suivies d'effet.

Au XVIIIe siècle de nombreux projets se succèdent, de 1718 à 1773, «tant pour achever de mettre la citadelle en état de défense que pour fortifier la ville».

Jusqu'à la fin de l'ancien régime, Saint-Jean-Pied-de-Port poursuit son double destin.

Capitale des Etats de Basse Navarre, les sessions du parlement y ont lieu. Les représentants du Roi —souvent liés à la puissante famille des Gramont, gouverneurs militaires de la Navarre de 1624 à 1789— et ceux des communautés y délibèrent. Au fil des décennies les intendants de Béarn et de la généralité d'Auch essaient constamment de limiter les droits et usages locaux. En 1685 une émeute éclate à Saint-Jean-Pied-de-Port contre l'établissement de la gabelle et la spoliation des salines d'Aincille qui appartiennent au Pays de Cize. On pend deux émeutiers ; deux autres sont expédiés aux galères.

Par ailleurs, la Junte des Pays de Cize se réunit régulièrement pour discuter de l'exploitation des bois et des pâturages. Périodiquement sont renouvelés les traités de «lies et passeries» qui sont des accords entre vallées navarraises (Aezcoa, Salazar) et pays de la Basse-Navarre.

Ville de garnison, Saint-Jean-Pied-de-Port a au moins un bataillon. On y dénombre près de 2000 hommes en 1750. La vie y est donc rythmée par les exercices, l'arrivée des convois et les tâches quotidiennes. Dans la ville haute, sur la rive droite de la Nive, chevaux et hommes d'armes grimpent la pente raide qui mène aux casernements. Sur la rive gauche de la rivière, le faubourg d'Espagne (paroisse Saint-Michel) bruit de l'animation des échoppes. En 1753 on dénombre 64 maîtres artisans et 36

Devant l'hôtel de ville — belle demeure en grés rouge de style XVIIe siècle— l'animation d'un jour de marché à Saint-Jean.

compagnons appartenant à tous les corps de métiers. Au pied de la muraille, près de la Porte de France, le marché rassemble les paysans de toute la Cize et même les cousins navarrais venus vendre leur laine et leurs mules.

Faisant limite avec la paroisse Sainte-Eulalie (faubourg d'Ugange) une belle demeure de style XVIIe siècle (on dira plus tard «Mansart») apporte une rigueur classique quelque peu surprenante : c'est une hôtellerie pour visiteurs de marque. Deux siècles plus tard elle est devenue l'Hôtel-de-Ville.

Aux temps révolutionnaires, des moments forts.

Quand vient le moment de la Révolution, le mécontentement en Basse-Navarre est plus vif qu'ailleurs contre les abus des privilégiés et de la monarchie. Après l'annonce de la convocation des Etats-Généraux, les Etats de Basse-Navarre se réunissent à Saint-Jean-Pied-de-Port. Les cahiers de doléances retracent l'ancienne constitution de la Navarre et réclament l'annulation de l'Edit d'annexion de 1620. Les députés envoyés à Versailles, dont Franchisteguy notaire à Saint-Jean-Pied-de-Port, demandent le rétablissement des anciens «Fors» navarrais ; vainement. Ils décident de ne pas assister à la réunion des Etats Généraux...

Les temps changent. Le titre même de roi de Navarre est supprimé... Le 4 mars 1790 le département des Basses-Pyrénées est officiellement constitué.

Au moment où la Révolution dérape vers la tourmente, Saint-Jean-Pied-de-Port connaît quelques moments forts. En 1791 Dominique d'Eliçagaray, «prêtre-major» est réfractaire à la constitution civile du clergé ; il doit émigrer à Pampelune. Lors de la Terreur jacobine quelques communes de Basse-Navarre sont rebaptisées par de zélés destructeurs des «vestiges du fanatisme» : Saint-Etienne-de-Baïgorry devient «Thermopyles» ; Saint-Jean-le-Vieux, «Franche», et Saint-Jean-Pied-de-Port «Nive-Franche». En aval, Ustaritz devient «Marat-sur-Nive» ; Bayonne, «Port-de-la-Montagne», et Saint-Esprit, «Jean-Jacques Rousseau»...

L'Espagne faisant alors partie des ennemis de la République, des Conventionnels, dont Lazare Carnot, viennent inspecter Saint-Jean-Pied-de-Port. Les habitants de Cize et de Baïgorry, dès l'été 1792, s'organisent pour garder la frontière. Ce sont les fameux «Chasseurs Basques» qui comprennent quatre compagnies. Enfant de Baïgorry, le futur Maréchal Harispe (1768-1855) est un de leurs chefs.

Au printemps de l'An II (1794) des combats se déroulent du côté de Château-Pignon et de Roncevaux. Les ports de Cize entendent le fracas des boulets...

Quand l'Empire napoléonien s'écroule, en 1813-1814, les environs de Saint-Jean-Pied-de-Port sont le théâtre d'opérations de la part du Maréchal Soult, manœuvrant devant l'armée anglaise de Wellington, qui est bien accueillie dans toute la région. C'est la fin des réquisitions et de la conscription mal supportées.

De 1815 à nos jours.

Le Pays Basque accepte la Restauration monarchique, puis les régimes qui lui succèdent. Région de petits propriétaires catholiques, son vote est en général conservateur, surtout par crainte des bouleversements sociaux.

Deux personnages, natifs de Saint-Jean-Pied-de-Port, s'illustrent au XIXe siècle pour leurs convictions républicaines :

Un élégant clocheton, supporté par des colonnettes, surmonte la porte d'entrée de la citadelle. On distingue à droite la partie du bâtiment qui servait de chapelle et qui fut transformé en écurie sous la Révolution.

— Michel Renaud (1812-1885) est élu député en 1848. Proscrit du 2-Décembre, il reprend sa vie politique en 1870. Il s'oppose au traité de Francfort et à la construction de la Basilique du Sacré-Cœur à Montmartre.

— Charles Floquet (1828-1896) est un avocat, opposant au Second Empire. Député de Seine-et-Oise en 1871, puis président de la Chambre des Députés et Président du Conseil, il est célèbre pour son hostilité au Général Boulanger qu'il blessa en duel.

Avant tout agricole, l'économie de Cize comme de tout le Pays Basque ne peut empêcher l'émigration d'une partie des jeunes. L'Amérique les attire : Mexique, Argentine, Uruguay, Chili. Après 1920 beaucoup de bergers émigrent vers les hautes terres de l'ouest des Etats-Unis. Revenus parfois au pays, les «Américains» apportent des capitaux, un esprit de progrès et d'entreprise très bénéfique.

Héritière d'un riche passé, la cité navarraise demeure l'une des plus pittoresques du Pays Basque. L'ayant vue traverser les siècles, on peut maintenant partir à sa découverte.

Un site d'éperon.

Qu'on vienne d'Hasparren par Irissary et Jaxu (D 22), ou bien de Saint-Palais par Saint-Jean-le-Vieux (D 933), c'est en arrivant à Ispourre qu'on découvre le site allongé et boisé de la forteresse de Saint-Jean-Pied-de-Port. C'était là les plus anciennes routes.

Aujourd'hui on arrive en Pays de Cize par la voie bien aménagée (D 918) qui vient directement de Bayonne par Ustaritz, Cambo et Itxassou. Cette route, qui est aussi l'itinéraire du chemin de fer, ne fut empruntée qu'à partir du XIXe siècle. A la sortie d'Uhart-Cize, on franchit les murailles de Saint-Jean ; elles datent de 1719.

Vers le sud, à pied de préférence, on peut prendre la «Route Napoléon», ancien chemin d'Espagne (D 428 ou sentier G.R.65 et G.R.10) ; dans le quartier Mayorga, non loin du carrefour avec la D 301 (route de Saint-Michel), on a une magnifique vue sur le site de Saint-Jean-Pied-de-Port : la citadelle sur un éperon allongé, à présent protégée par ses fûtaies altières. A ses pieds la vieille ville aux toits rassurants. Vers le nord et l'ouest l'extrémité de la plaine de Cize est tachée de constructions plus récentes.

Redescendu, on peut entrer dans la ville, comme les pèlerins ou les soldats d'antan, par la rue d'Espagne (autrefois rue Saint-Michel). Très fréquemment aussi le visiteur pénètre par la porte du Marché ou la porte de France.

Les bords de la Nive et le pont d'Eyherraberri.

La coutume de commencer la visite de la vieille ville par le point de vue sur la Nive à partir du «nouveau pont» est des plus agréables. En amont de la retenue des anciens moulins royaux les eaux du torrent sont assagies et de temps à autre on aperçoit une truite vagabonder sur les fonds de galets. Les vieilles maisons blanches aux longues galeries de bois se reflètent dans le plan d'eau. Le clocher carré de l'église Notre-Dame se détache à gauche, au pied des pentes arborées de la citadelle, dont on distingue le bastion et le

En pages précédentes.
A l'emplacement de cette vaste cour où de nos jours ont lieu les récréations des collégiens, s'élevait à l'origine le donjon du château des Rois de Navarre. Le bâtiment visible à droite était dit «logis du gouverneur», celui de gauche «logis du major».

Sa forme en dos d'âne et son arche cintrée donnent au pont d'Eyherraberry une vénérable élégance.

pavillon d'entrée au clocheton pointu. Sur l'emplacement de ces maisons de la rive droite s'élevait au XIVe siècle la halle du Roi de Navarre.

Quelques centaines de mètres en amont, le Pont d'Eyherraberri appelé parfois —à tort— «pont romain», ne manque pas de pittoresque. Une forme en dos d'âne et une arche cintrée donnent à cette construction une vénérable élégance. La voie antique de Dax à Pampelune traversant la Nive probablement en aval, vers Uhart-Cize et Ugange, ou plus sûrement en amont, au gué de Saint-Michel, il ne faut pas rendre à César ce qui ne lui appartient pas : le pont est, au plus, médiéval. Il fait partie de toute une série d'ouvrages similaires bâtis à l'époque des pèlerinages sous l'impulsion des grands ordres hospitaliers.

En suivant le mur d'enceinte.

De grès rose et violacé, patiné par le temps, le mur d'enceinte décrit à l'ouest, près du Syndicat d'Initiatives, une courbe qui va remontant sur la route de Çaro (D 401). Vers le faubourg d'Espagne sur la rive gauche de la Nive, on retrouve le même appareillage : grandes dalles dans la partie inférieure, droites archères ou meurtrières au sommet.

Vers Uhart-Cize la *porte de Cize* a la beauté classique de ses piliers carrés.

La *porte du Marché*, conduisant à l'église, a sa forme ogivale surmontée d'un mur à archères droites. Les moellons d'angle de la partie basse ont été usés par les essieux des charrettes, jadis, avant que le nouveau pont ne soit édifié.

Au milieu de l'enceinte de la ville haute, la *porte de France* conduit vers la rue de la Citadelle. A l'intérieur un escalier droit mène au chemin de ronde. Tout au bout de la rue la *porte Saint-Jacques* est ornée d'un écusson aux armes de la Navarre.

L'église Notre-Dame du bout du Pont. Les armes de la ville.

Après Bayonne, c'est l'édifice gothique le plus important de cette partie du Pays Basque. Bien que ses assises remontent probablement au début du XIIIe siècle, l'ensemble est caractéristique du XIVe siècle. Entre le portail et la tour on peut distinguer sur le mur de façade quelques moellons portant les marques des tailleurs de pierre : des étoiles, une flèche, un triangle... Dédiée depuis le XVIIe siècle à l'Assomption de la Vierge, l'église avait Saint Jean-Baptiste comme vocable d'origine ; d'où le nom de la ville.

Deux éléments, à l'extérieur, sont remarquables. D'abord le joli chevet à pans coupés du XIVe siècle, témoignage magnifique du gothique rayonnant. Il se rattache au rempart qui descend de la citadelle jusqu'à la Nive. A cet endroit s'ouvre une porte ; elles est surmontée d'une échauguette, typique des fortifications de Vauban, et accède au chemin de ronde. Ensuite le clocher, attenant à l'église. Il fait face au pont, qu'il défend et s'élève au-dessus d'une porte ogivale où l'on repère encore les gonds et la rainure de la herse

Vieux grés rose des piliers, blancheur des murs : toute la beauté de la nef de l'église Notre-Dame. On distingue les deux inscriptions en basque : «Agur Zubi Buruko Ama» (Salut, Mère du bout du pont) et «Begira Don Iban Herria» (Saint-Jean Protège la Cité).

DON·IBAN·HERRIA
AGUR·ZUBI·BURUKO

d'antan. Au-dessus de cet accès à la ville de jadis, se dresse la tour carrée. Après qu'en 1915 la foudre eût incendié la flèche aiguë en ardoise et à huit côtés, on a aménagé un toit de tuiles, à quatre pentes, légèrement débordant, de belle facture. Au premier étage de la tour une salle étroite (accessible par l'intérieur de l'église) servait avant 1789 de lieu de réunion pour l'assemblée municipale.

Le portail date de la fin du XVe siècle, comme le révèlent les arêtes à méplats des colonnettes et les chapiteaux ornés de feuilles de vigne ou de lierre. Le tympan, refait en 1869, est supporté par un arc surbaissé orné de trilobes. Les extrémités sont soutenues par des personnages d'aspect étrange : deux femmes, en robe, face à un homme accroupi, plutôt monstrueux.

A l'intérieur la large nef est bordée de deux bas-côtés étroits. La voûte fut surélevée au XVIIe siècle afin d'installer la tribune des hommes ; cela se remarque à l'allongement des fenêtres de chaque côté de la nef et dans le chœur. Ce dernier a de belles proportions. Le vieux grès rose des piliers fait un beau contraste avec la blancheur des murs. Des inscriptions en langue basque se lisent sur le pourtour. Au-dessus des deux bas-côtés, deux fenêtres en forme de triangle curviligne possèdent des vitraux remarquables : l'un représente les armes de la Navarre, l'autre celles de la ville, soit Saint-Jean, vêtu de peau de bête, tenant une croix à banderolle et protégeant la tour de la ville de sa main droite.

A travers la vieille ville : de belles maisons navarraises aux linteaux chargés d'histoire.

Des façades alignées, des toits largement débordants, des séries élégantes de chevrons travaillés et des inscriptions variées au-dessus des portes d'entrée : voilà le charme de ces vieilles rues, où au XVIIe et surtout au XVIIIe siècles on bâtit intensément. Les propriétaires sont fiers de pouvoir prétendre au titre de «voisin» («vesin» en gascon), et ne manquent pas de faire inscrire leur souvenir sur les linteaux violacés en pierre de l'Arradoy.

La rue de l'Eglise et la maison des ancêtres de Saint François-Xavier.

Les maisons y ont un étage à encorbellement. Selon une antique manière, assez répandue, les pans de bois sont remplis de maçonnerie ou de briques.

Au fond d'une petite impasse deux maisons sont adossées au rempart ; elles furent construites sur l'emplacement de l'ancienne halle médiévale. A droite, la première porte un linteau orné de cette inscription : CATHERINE LAR(RA)M(EN)DI ET PIERRE ONDARTZ 1799. A gauche la Maison Candau porte une double inscription où se lisent les noms de ceux qui la firent bâtir : JEAN DIRAT et JEANNE PELADAN. Entre deux étoiles on distingue un petit bonnet phrygien. Au-dessous sous la plate-bande, la date de la construction : 1796 - 4e AR. C'était l'An IV de la République ; à Paris, Babeuf conspirait et Bonaparte recevait le commandement de l'Armée d'Italie...

Gravée pour l'éternité, une inscription du XVIIIe siècle dans la rue d'Espagne baignée de soleil.

Dans la rue d'Espagne, un linteau qui rappelle un temps où le grain était cher.

IESVS IHS 1731
RAMON Ð DELICAGARAY
ANDRE·FITERE
LAN 1789
LE FROMENT F T A 15 LS
ALON DE THE

La rue d'Espagne.

Elle aussi est riche de belles façades anciennes en pierres de taille, d'un grand intérêt historique.

Face à la rue de la Fontaine, en direction de la porte d'Uhart-Cize, la Maison des Etats de Navarre se distingue par deux arcades à claveaux de style navarrais. L'une est surmontée d'un écusson au monogramme IHS avec, gravée, la date ANO 1610. Entre 1758 et 1789 cette maison Mendiri servit aux sessions des Etats de Navarre.

Non loin du pont une maison bien restaurée présente une façade à colombages remplis de briques en arêtes de poisson. Un décor de virgules caractéristiques de l'art mobilier basque orne la poutre de soutien de l'encorbellement de l'étage. Dans les pierres, vers le bas, une inscription signale un fait de l'histoire économique du XVIIIe siècle : ANDRE FITERRE L'AN 1789, LE FROMENT F(U)T A 15 L(LIVRES). La Révolution, on le sait, fut, entre autres causes, provoquée par la cherté des grains à la suite d'un hiver particulièrement rigoureux, même en Navarre.

Un peu plus haut, sur le linteau en arc de cercle d'une porte : 1e DETCHEBERRI M.E SELLIE ET MARIE TUGUET, 1763. C'était l'enseigne d'un maître-sellier.

Par ailleurs, on lit une inscription sur l'ancienne boutique d'un serrurier, ETIENNE D. SALABERRY, SERRURERIE, 1753. A côté, deux clefs sont encadrées par deux croix de Malte et une croix basque.

La croix basque.

La swastika (mot sanskrit) ou croix gammée est un symbole solaire de la plus haute antiquité et universellement répandu. Avant l'ère chrétienne on en trouve en Pays Basque sous sa forme curviligne, sorte de croix constituée de quatre virgules, et appelée en basque Lauburu (quatre têtes) ; c'est actuellement le motif peut-être le plus fréquent dans l'art basque.

On retrouve la «Lauburu» encadrant un linteau daté de 1767, où l'on peut lire : JEAN DE STE-MARIE ET MARIE D'OXARAIN CONJOINTS M(aîtr)ES DE LA PRESENTE MAISON.

Sur la maison voisine, une inscription de 1796 avec deux signes curieux ; ce sont des rasoirs à double lame stylisés. C'était l'enseigne d'un chirurgien ou barbier.

Ailleurs enfin on déchiffre aisément, sur quatre lignes, la dédicace composée pour un notaire royal, PIERRE CAMINONDO et son épouse MARIANNE BERETERETCHE, CONJOINTS, MAITRES DE LA PRESENTE MAISON. Ils datent la réparation de leur demeure de 1756.

La rue de la Citadelle.

Elle monte en pente raide vers la *Porte Saint-Jacques*. Quelques maisons datent du XVIe siècle, la plupart du XVIIe ; chacune est intéressante.

La troisième maison, côté gauche à partir de l'église, est en pierres de taille. Elle remonte au XVIIe siècle. Au-dessus de son fronton classique un cartouche de marbre noir rappelle

au passant que «la vertu survit aux funérailles» :
POST FUNERA VIRTUS VIVIT.
De chaque côté de l'entrée, deux lucarnes sont ornées de motifs en fer forgé rappelant la croix basque. L'escalier intérieur est bordé d'une belle rampe Louis XIII. Cette demeure aurait été celle de M. de Logras, marquis d'Olhonce, conseiller au Parlement de Navarre, qui joua un grand rôle en Cize aux alentours de 1789.

Du côté droit, une maison à deux étages à encorbellement avec les poutres apparentes. Le linteau de pierre porte l'inscription : *MIGUEL DE ANDRENES 1654.*

Un peu plus loin on rencontre la maison du chapelain majeur (capellano major) Vidonde (1637). Ce dignitaire écclésiastique, désigné par le prieur de Roncevaux, desservait l'église Notre-Dame, et présidait les Etats de Navarre quand ils se réunissaient en Cize.
On remarque ensuite sur une maison une dédicace tracée sur trois lignes : IOANNES D'IRIBERRY ET LOUISE D'UHALDE MAITRE ET MAITRESSE DE LA MAISON DE LONDRESENA, 1722. Puis, à une maison du XVIIe (E. BERNAT. D.N. 1662), succède une maison de 1733 (PIERRE IMBERT ET MARIE LAROQUE).

A mi-parcours, côté droit, on découvre une vieille maison à l'étage en pans de bois remplis de briques disposés en arêtes de poisson. Sur le linteau de bois, une date : ANO 1510. En haut à gauche, sur un chevron, une petite croix blanche rappelle le souvenir du Bienheureux Mayorga qui habitat cette «maison Arcanzola» (voir page 6).
Du côté gauche, à l'angle de la ruelle menant à la porte de France, la maison a conservé une belle entrée à grands claveaux de style navarrais. Puis, il y a une très belle demeure du XVIIe siècle, dont l'intérieur possède des boiseries remarquables.

Les maisons suivantes, datées de 1746, 1633, 1732, 1724, ne manquent pas d'allure avec le jeu du grès rose ou gris et l'élégance des portes navarraises.

La «prison» des évêques.

Dans la dernière courbe de la rue, la maison Laborde, dite aussi la Maison des Evêques, date de 1584. Un jardin, protégé par un mur, la sépare d'un bâtiment qui se distingue nettement des autres par son toit à double pente dont l'arête est perpendiculaire à la rue : c'est la «prison» des Evêques (façade en pierres de taille ; à l'étage, fenêtre à barreaux de fer partagée par un meneau vertical en pierre ; porte étroite en plein cintre).

Rien ne prouve que du temps du Grand Schisme d'Occident (conflit entre les papes d'Avignon et de Rome de 1375 à 1418) les évêques de Saint-Jean-Pied-de-Port —dont Guillaume Arnaud de Laborde, intronisé en 1417 par l'anti-pape d'Avignon Benoît XIII (cardinal Pedro de Luna)— aient eu des pouvoirs de justice en Basse Navarre. L'appellation «prison» des Evêques et l'évocation de l'Inquisition sont donc quelque peu abusives. Quoi qu'il en soit, cet édifice servit effectivement de prison municipale au XVIIIe et au XIXe siècles. On peut donc se faire peur !

Dans l'entrée, un pavage de galets plantés verticalement ; à droite, un escalier monte à l'étage. Au fond se trouve l'accès aux salles du rez-de-chaussée : la première évoque un corps de garde (vieux fusils aux murs, lourde table de chêne...), les autres ont conservé un aspect de cellule disciplinaire (lucarnes hautes, portes épaisses, serrures impressionnantes, graffiti rappelant le séjour de troupiers dans la garnison de la Citadelle...).

Un étroit escalier de neuf marches conduit dans la salle souterraine (14m de long, 9,25 m de large, 5,50 m de hauteur). Le soupirail ne diffuse l'air et la lumière qu'avec parcimonie. Dans l'angle gauche, sur le mur du fond, l'entrée murée d'un souterrain qui communiquait sans doute avec le jardin de la maison des Evêques. Près de l'escalier on découvre une construction cubique (2×3×2 mètres) ; on y accède par une porte basse ; au fond des fers et un collier de prisonnier enchaînés au mur. C'était le cachot.

Cette impressionnante construction remonte certainement au XIIIe siècle ; des marques de maçons l'attestent. Au cours des âges, elle a pu servir d'entrepôt, ou de chapelle, ou de salle de réunion. Les étages supérieurs datent probablement du début du XVIIe siècle. Un plan de 1685 la désigne comme «Maison de Ville». La justice pouvant être exercée par les autorités municipales, sous l'Ancien Régime la bâtisse remplit donc une fonction de prison, comme le montrent les fers, les chaînes et le cachot...

La croix de Saint-Jacques et la maison Dufourquenia.

A l'extrémité de la rue de la Citadelle, au delà de la *porte Saint-Jacques*, la croix de Saint-Jacques s'élève à l'emplacement d'une chapelle qui existait au moins jusqu'à la fin du XVIIIe siècle. Les pèlerins y faisaient halte. L'édifice, gênant pour les charrois tournant vers la Citadelle, fut démoli.

La maison Dufourquenia tire son nom de la famille qui l'occupait. Un des membres de cette famille Dufourcq fut maire de Saint-Jean-Pied-de-Port au cours de la Révolution et de l'Empire. Cette solide bâtisse a un auvent débordant, caractéristique, reposant sur le prolongement des murs latéraux. On retrouve souvent ces gouttereaux dans l'architecture rurale du Labourd et de Basse-Navarre. La grande porte en plein cintre aux grands claveaux allongés a celui du milieu décoré d'un blason, en partie détruit ; on peut y distinguer le sigle IHS (Iesus Hominum Salvator) et la date de 1588. Les anneaux que l'on voit accrochés à mi-hauteur, auraient servi à pendre les pèlerins qui avaient commis quelques délits...

A la découverte de la Citadelle.

La Citadelle, acropole rectangulaire de 300 mètres de long sur 150 m de large, domine la ville de près de 80 mètres. A chaque angle un bastion à l'arête de pierre effilée, défie les assaillants à jamais improbables. A l'ouest comme à l'est une demi-lune protège les entrées.

Du côté est (vers la route de Çaro), les défenses —levées herbeuses où survit le corps de garde— sont précédées d'une vaste esplanade occupant la crête de la colline. Plus de convois, ni de fantassins de la ligne partant à l'exercice, mais, en période scolaire, des cars de ramassage qui déversent les jeunes collégiens venus étudier dans un bâtiment peu banal. Dans ce cadre, on espère qu'ils sont nombreux à être touchés par la grâce de Clio ! Un parcours du combattant —ou plutôt «du cœur»— a été aménagé pour les sportifs qui voudraient lestement faire le tour de la citadelle. Mais, de bout en bout, on peut suivre le chemin de ronde plus paisiblement pour comprendre les arcanes des ouvrages militaires du XVIIe et du XVIIIe siècles.

A l'ouest, à partir de la rue de la Citadelle, une rampe pavée monte en lacets vers la demi-lune d'entrée. Un pont et un arc des plus classiques permettent d'accéder à ce point idéal pour embrasser toute la ville et ses environs. L'accès à la porte «porte royale», se fait par un pont-levis, aujourd'hui condamné. Au-dessus du toit en ardoises, un fin clocheton supporté par huit colonnettes à arcades. Les ailes sont couvertes en tuiles creuses ; à droite

Façades blanchies, toit largement débordant, chevrons finement travaillés : les belles maisons navarraises de la rue de la Citadelle datent du XVIe ou du XVIIIe siècles.

En pages suivantes.

Sur les bords de la Nive, calme retenue en amont des anciens moulins, le clocher carré de l'église Notre-Dame se détache. Sur l'emplacement de ces maisons s'élevait, au XIVe siècle, la halle du Roi de Navarre.

il y avait le logement des officiers, à gauche la chapelle. L'intérieur fut transformé en écuries sous la Révolution.

Dans la première cour le puits a une profondeur de 120 pieds (environ 40 mètres). Deux bâtiments se font face ; le premier, à gauche, était dit «logis du gouverneur», le second, à droite, «logis du major».

Dans la vaste cour centrale s'élevait, avant que Vauban n'intervienne, le donjon du château des rois de Navarre.
Les anciennes casernes ferment les côtés nord et est de l'esplanade. Vers le sud le rempart est dégagé pour que l'artillerie puisse battre de ses feux la vallée de Saint-Michel et la route des ports de Cize arrivant dans le faubourg d'Espagne.

Tout à fait à l'est, la bâtisse, dont la façade est ornée de grandes arcatures et les fenêtres en mansardes portant des frontons en triangle ou en arc de cercle, constituait jadis l'arsenal.

On remarque des soupiraux tout autour de la cour : ils s'ouvrent sur les souterrains qui abritaient les vivres et les munitions.

Dans les environs.

• On peut, aux alentours de Saint-Jean-Pied-de-Port, découvrir les vestiges des redoutes édifiées au XVIIIe et au XIXe siècles, points avancés du système de défense de la ville : à Saint-Jean-le-Vieux, Belle-Esponda (cote 282, au sud-ouest du village) ; à Çaro, Cherrapo (cote 299 au nord-ouest du village) et Harispuru (cote 282, au sud-ouest) : au sud de la ville, de part et d'autre de la Route Napoléon, celles d'Antonenea (cote 319) et d'Etcheverrigaray (cote 308).

• vers l'est : en prenant le G.R. 65, à la sortie de la vieille ville, on gagne le hameau de La Madeleine, au bord du Laurhibar. Il y avait autrefois un hôpital pour accueillir les pèlerins malades. La chapelle a un enfeu extérieur en plein cintre et un joli portail ogival à triple arcature. De là on peut rejoi ndre Saint-Jean-le-Vieux et y découvrir le «tumulus», l'église reconstruite en 1610, mais dont le portail est roman, et au sud le château de Harrieta.

• Vers le sud les routes des ports de Cize. Itinéraire indispensable pour comprendre l'histoire de la ville ! On emprunte soit le chemin D 933 qui mène à Arneguy et à Valcarlos ; c'est la route de Roncevaux et de Pampelune ; soit la D 428 (route Napoléon ou GR65) qui mène à l'ancienne redoute de Château Pignon et au site mystérieux d'Urkulu, riche en vestiges protohistoriques.

• Vers le nord (en prenant la D 22 en direction de Jaxu) on peut se rendre au sommet du Pic d'Arradoy (660 m) aisément accessible. De là-haut s'offre une vue remarquable sur Saint-Jean-Pied-de-Port.

• Bien entendu le charme du Pays Basque et de la Basse-Navarre en particulier, est tel que les découvertes sont innombrables : monuments, villages empreints d'une séculaire beauté, paysages d'infinie variété qui incitent à revenir...

Sur le chemin de ronde des remparts, une vue splendide de la montagne basque.

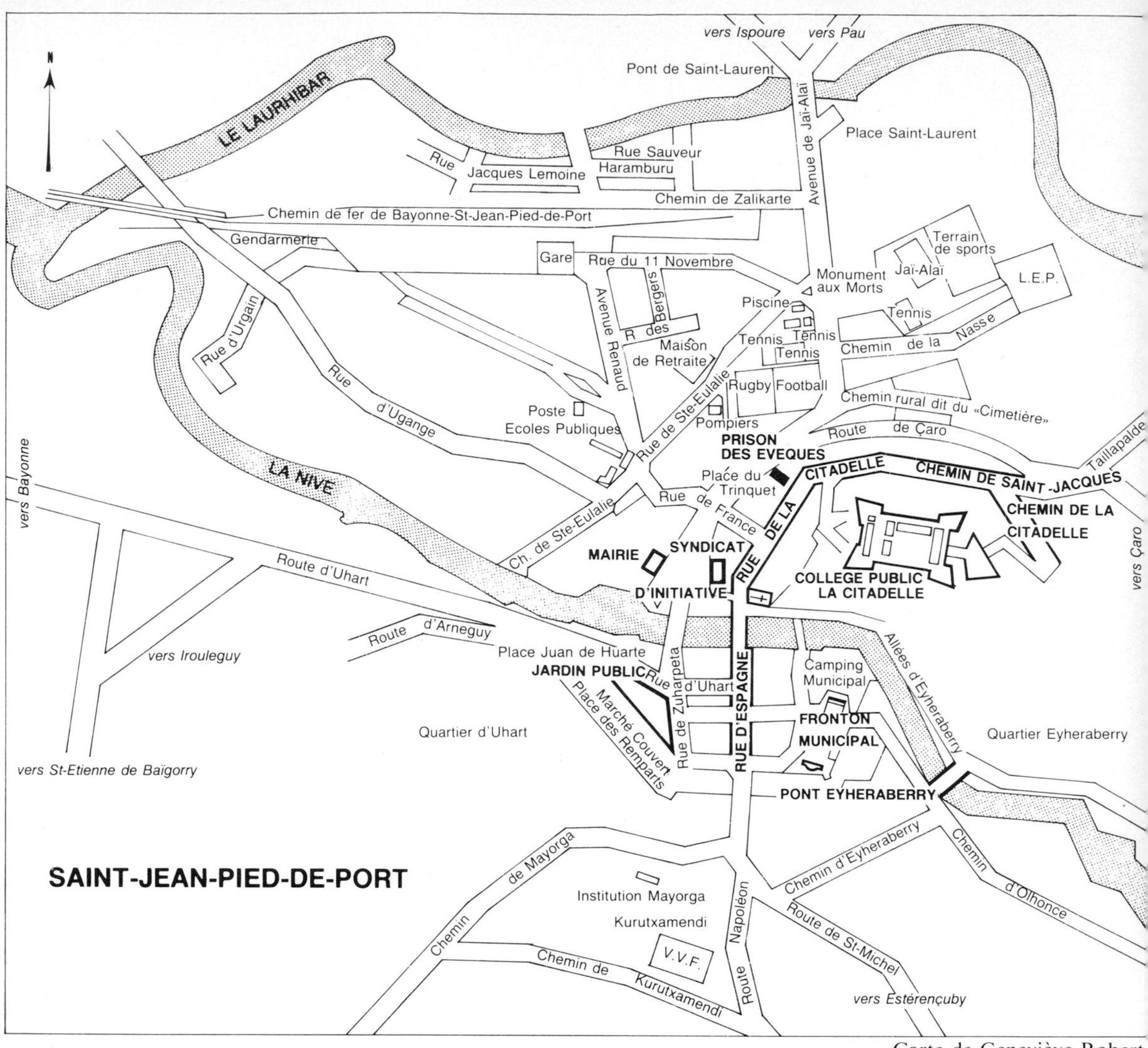

Carte de Geneviève Robert

1ère de couverture

Au pied de la citadelle, la Nive longe l'église Notre-Dame et baigne les blanches maisons aux plaisantes galeries.

4ème de couverture :
Entrée ouest de la citadelle qui fut construite de 1643 à 1647 sur les plans de l'ingénieur militaire Deville.

 Ce livre a été imprimé chez Raynard à la Guerche de Bretagne - 35 - France. La photocomposition a été réalisée par CS Rogé à Bordeaux - 33. Mise en page du studio des Editions Sud-Ouest à Bordeaux. Photogravure couleur de Bretagne Photogravure à Bruz - 35 - France. Pelliculée par TTG à Chatillon-sous-bagneux - 92.
ISBN 2.905983.49.7 Editeur 037.01.08.05.89.